책을 내면서

앙상블을 접하면 화음감, 박자감, 리듬감, 집중력, 연주력 향상 등 많은 부분에서 잇점이 있습니다.

이 책은 실력이 다른 여럿이 모여 한 곡을 완성할 수 있게 편곡 되었습니다. 자기 레벨에 맞는 파트로 초보자와 상급자가 함께 연주할 수 있고, 피콜로나 알토, 베이스 플룻이 없이 일반적인 콘서트 플룻 만으로도 풍부한 음량으로 앙상블을 즐길 수 있습니다.

파트 밑에 별 표시로 난이도를 나타내어 자기 레벨을 쉽게 찾을 수 있습니다. 전곡 반주 QR이 있어 전 파트 구성 뿐 아니라 한두 파트 빠진채 솔로나 듀엣으로 연주해도 아름답게 완성 됩니다. 또한 각 곡에 코드 표시로 반주도 수월 합니다

기초부터 차근차근 함께 연습하면서 자기 소리뿐 아닌 다른 소리들도 들을 수 있게 된다면 앙상블을 통한 어울림의 묘미와 오묘한 화성의 세계로 이어지는 음악의 풍요로움을 만끽할 수 있을 것입니다.

책에 수록된 곡들은 기존에 있던 악보들로는 여럿이 모인 수업에서 함께 하는데 어려움이 있어 따로 편곡해 연주해 왔던 곡들입니다. 실제로 학교와 문화센터, 앙상블팀 등에서 축제나 발표회, 연주회 때 호평 받아 왔던 곡을 모았습니다. 연습하며 함께 즐거워 해준 서초초, 목일중, 반석초, 학동초, 예당초 친구들과 MBC문화센터,앙상블에서 만난 모든 분들, 조언주신 경희동문 선후배님들, 도움주신 김정민 선생님, 사랑하는 가족들께 감사하고 책을 낼 수 있는 여건과 지혜를 허락 하신 하나님께 감사드립니다.

차례

Amazing Grace

아일랜드민요
한유경 편곡

Amazing Grace

Amazing Grace

For the beauty of the earth

Score

J.Rutter 작곡
한유경 편곡

9

For the beauty of the earth

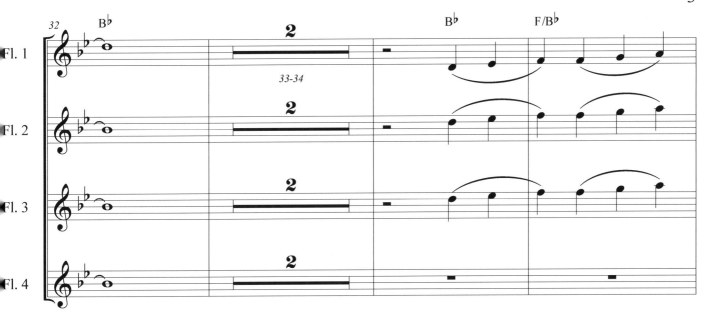

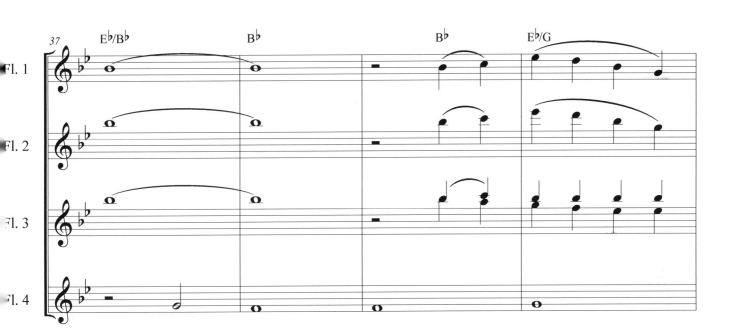

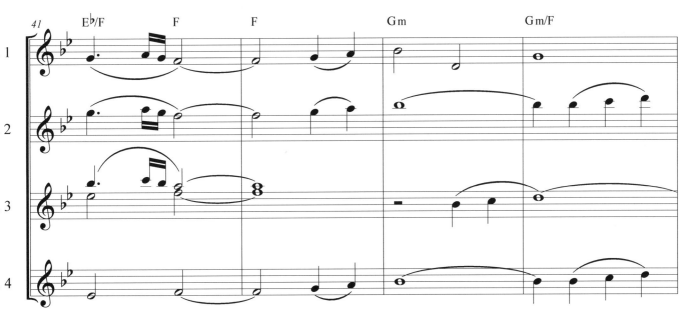

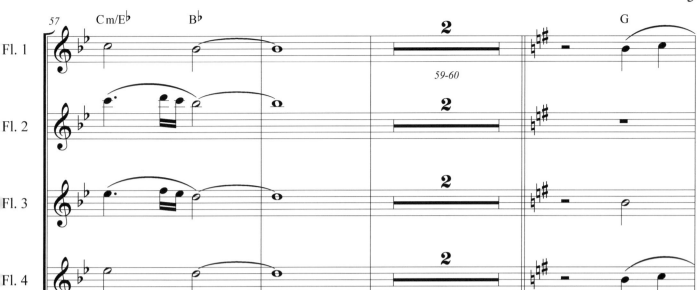

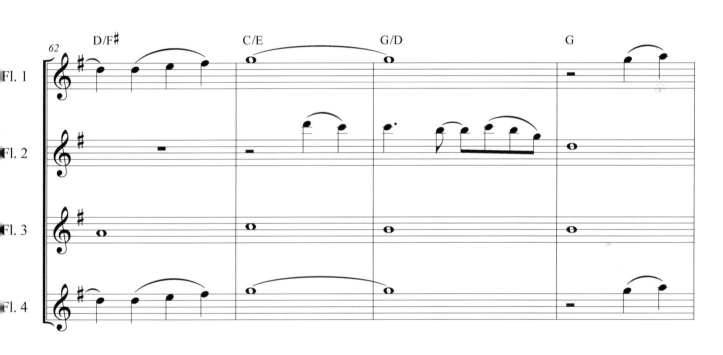

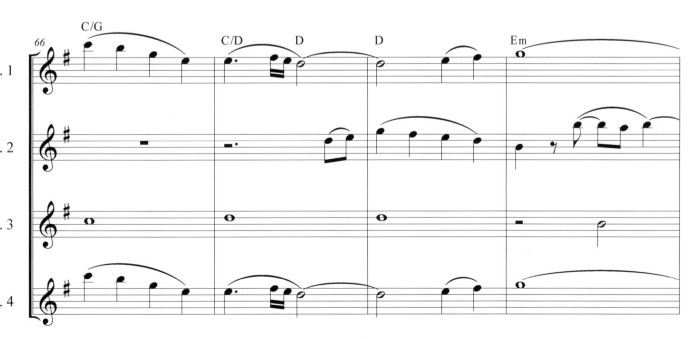

For the beauty of the earth

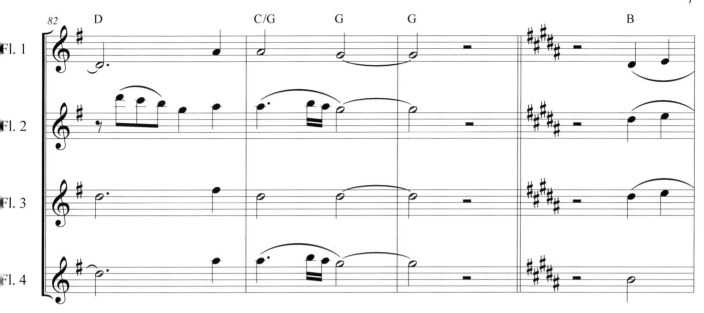

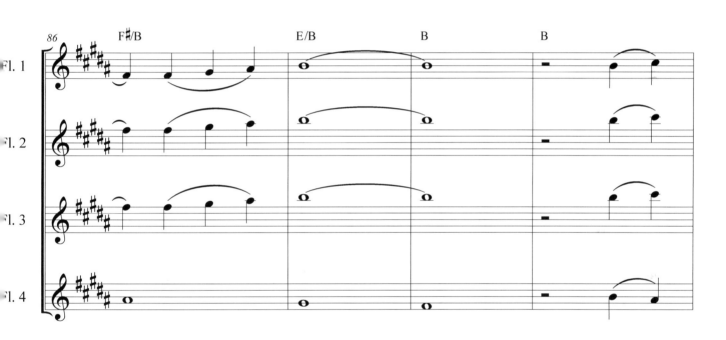

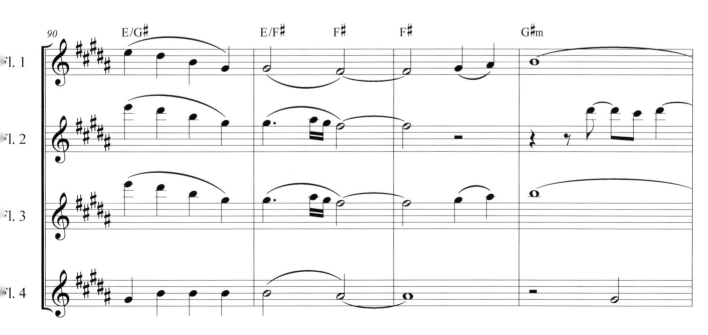

For the beauty of the earth

Somewhere out there

Score

J. Honor 작곡
한유경 편곡

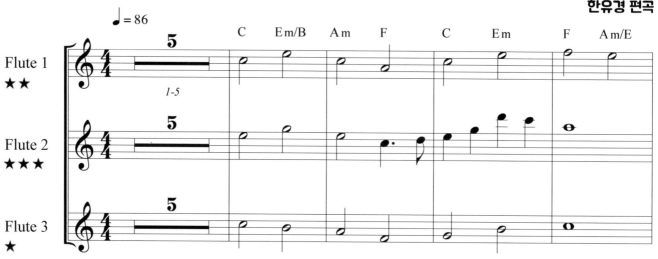

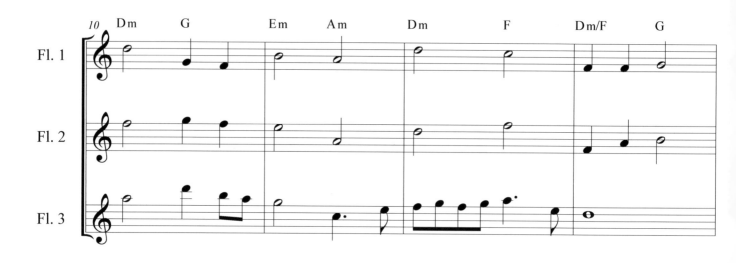

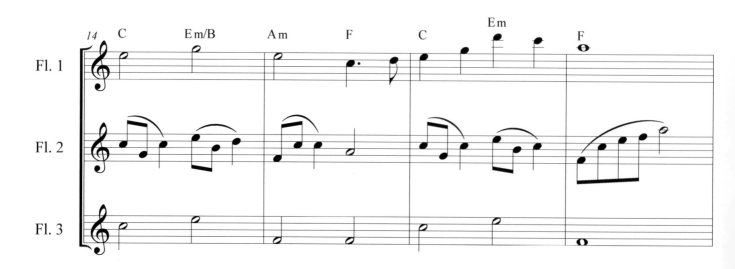

18

somewhere out there

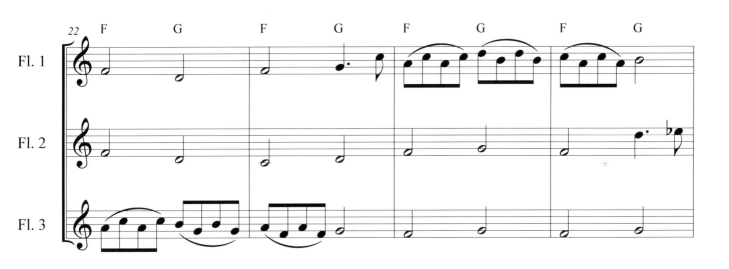

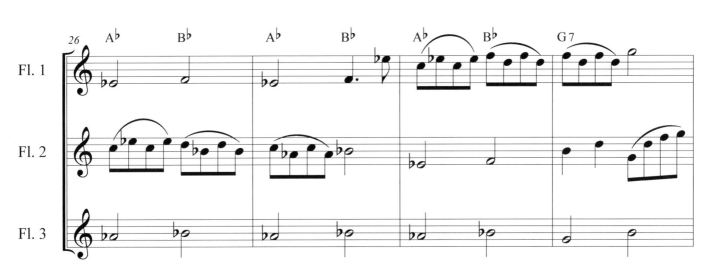

somewhere out there

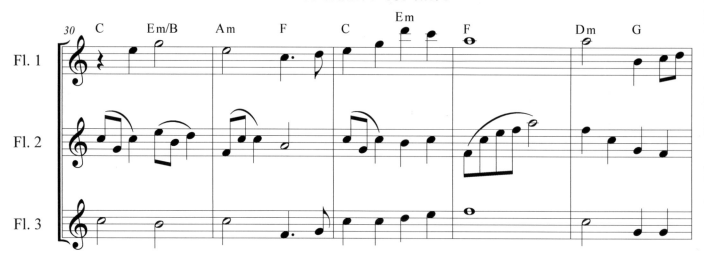

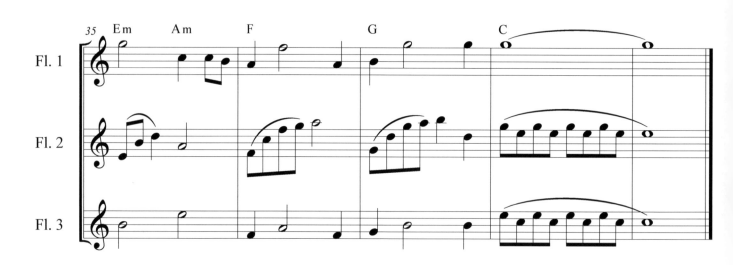

Stepping on the rainy street

Score

데이드림 작곡
한유경 편곡

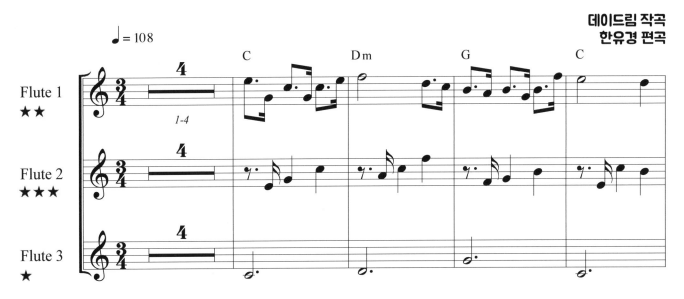

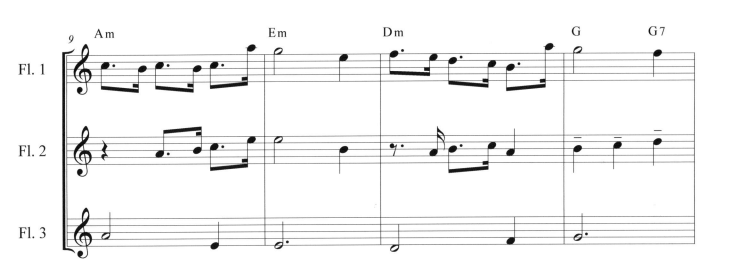

Stepping on the rainy street

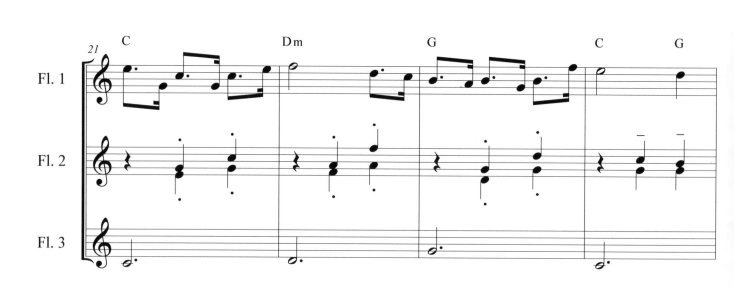

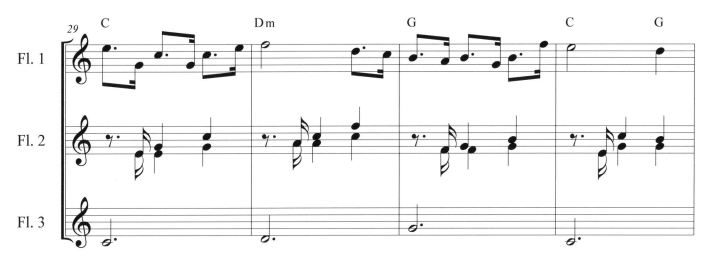

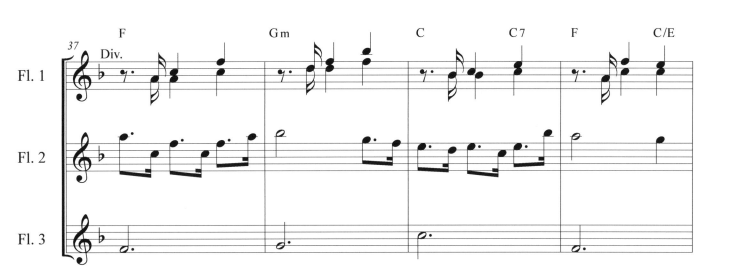

Stepping on the rainy street

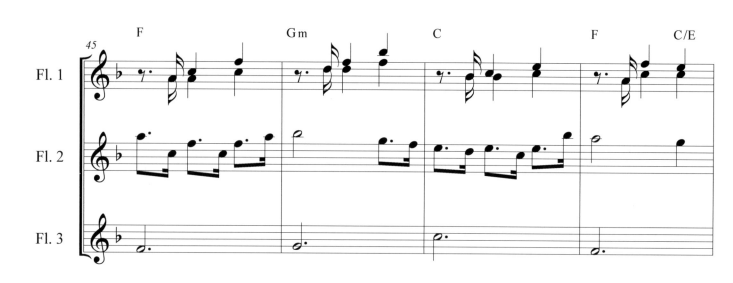

Time to say good bye

Score

F.Sartori 작곡
한유경 편곡

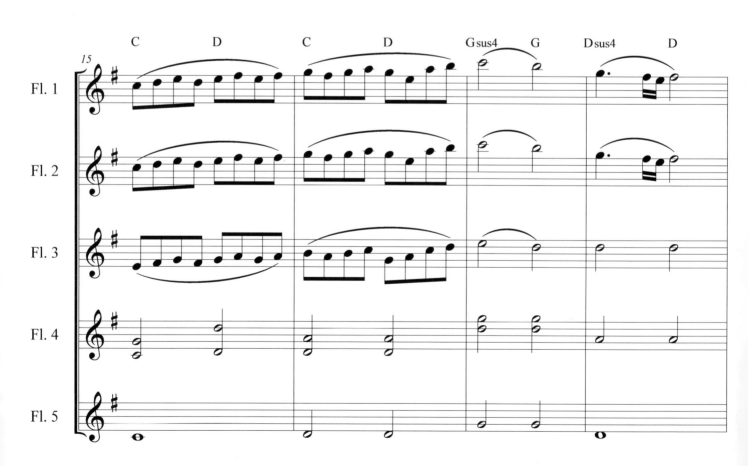

26

Time to say good bye

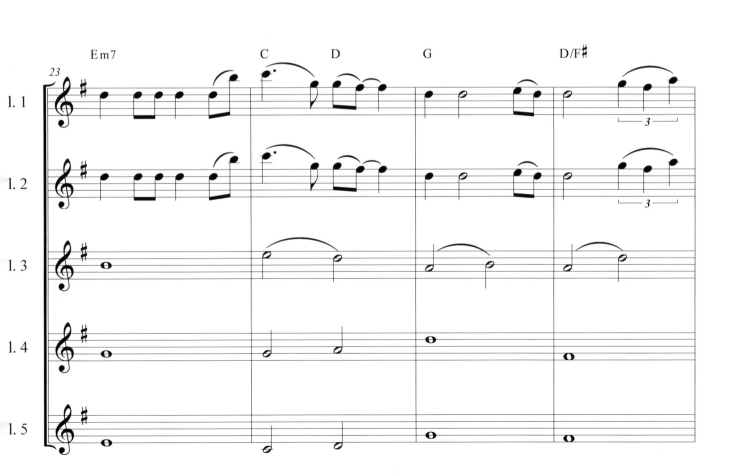

Time to say good bye

28

Time to say good bye

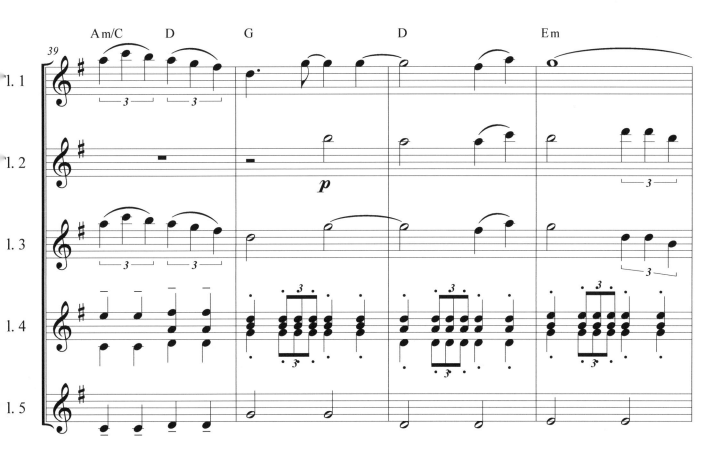

29

Time to say good bye

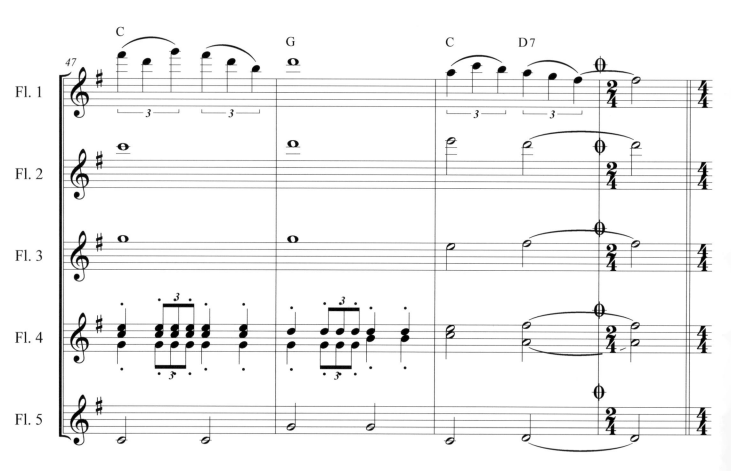

Time to say good bye

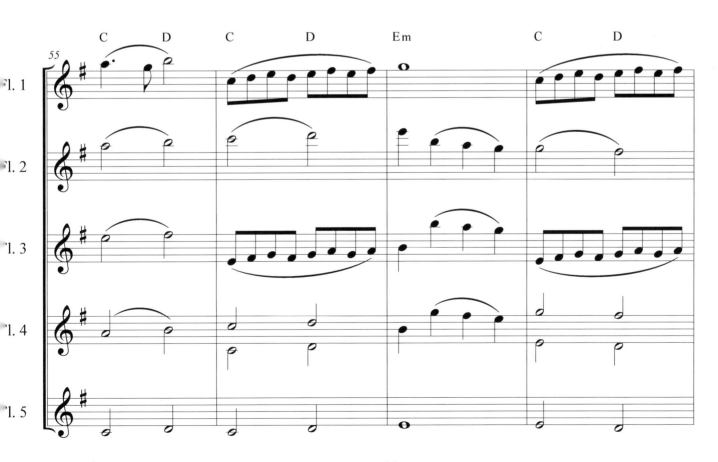

Time to say good bye

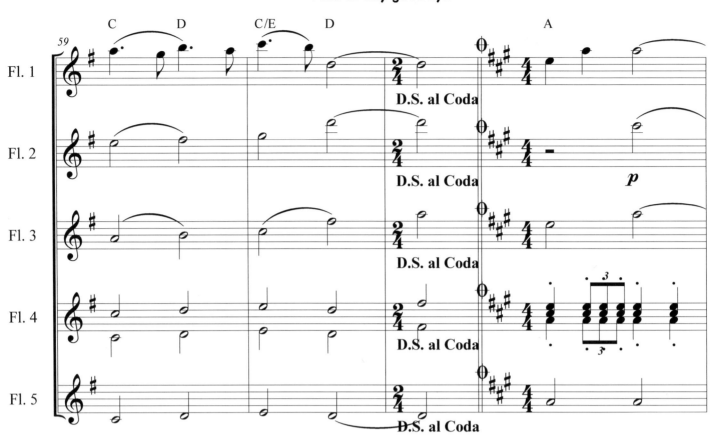

Time to say good bye

Time to say good bye

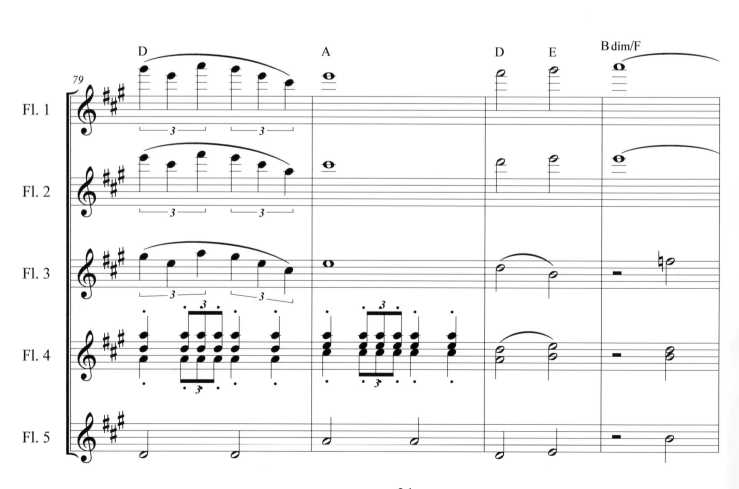

Time to say good bye

Top of the world

Carpenters 작곡
한유경 편곡

Score

2

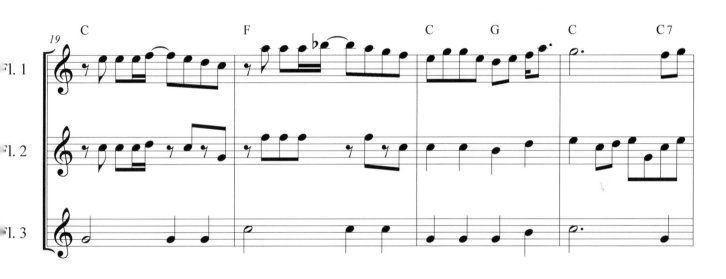

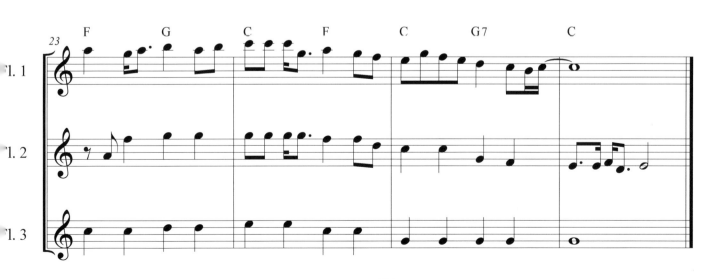

그린 슬리브스

영국민요
한유경 편곡

Score

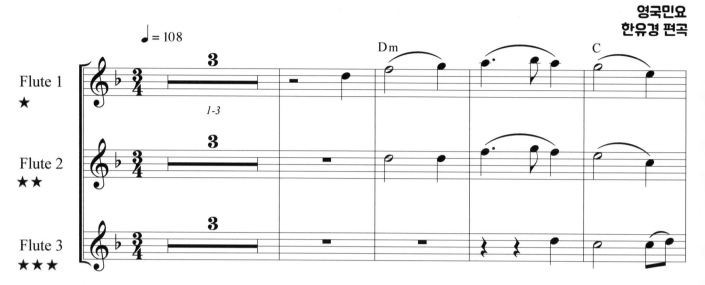

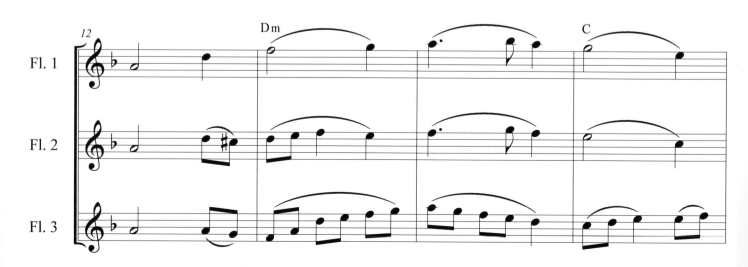

그린 슬리브스

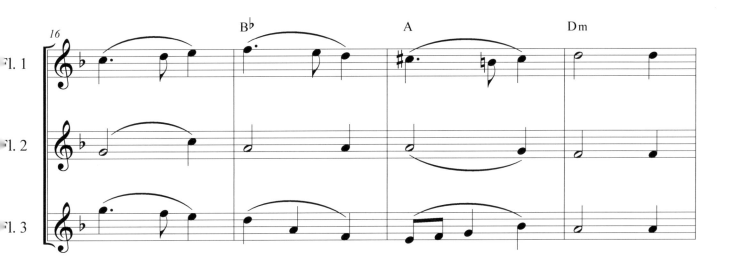

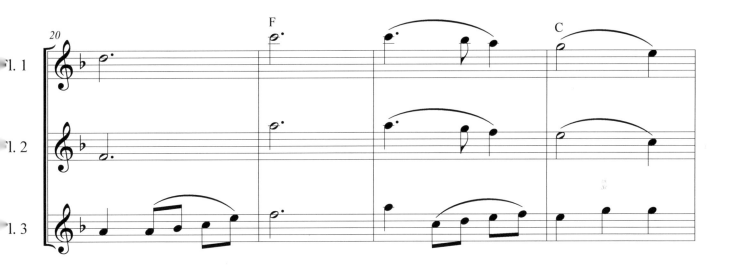

그린 슬리브스

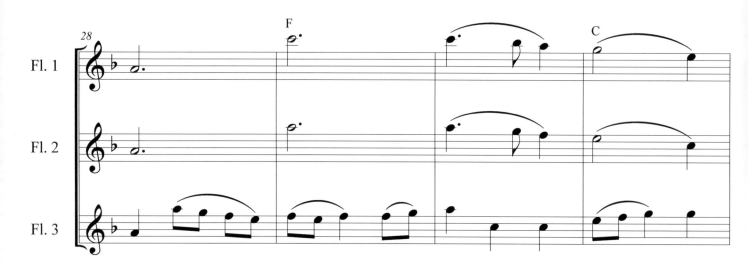

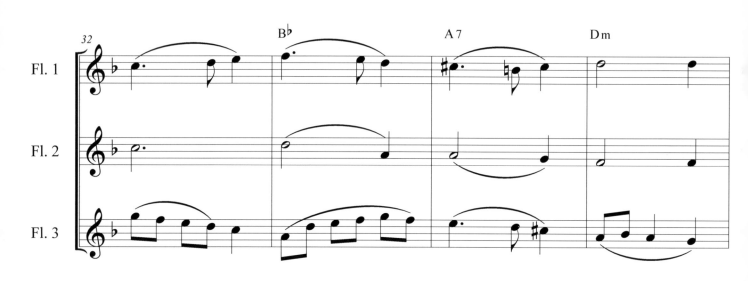

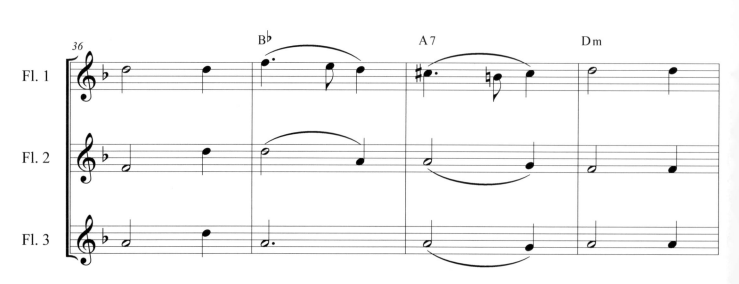

그린 슬리브스

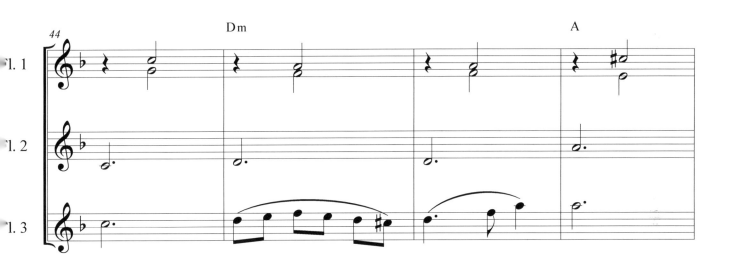

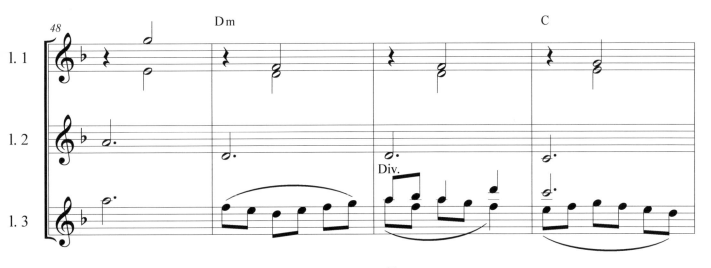

41

그린 슬리브스

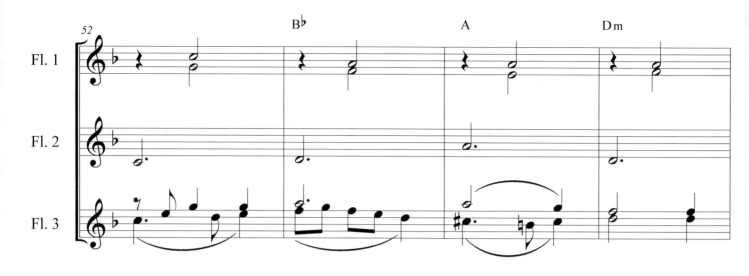

그린 슬리브스

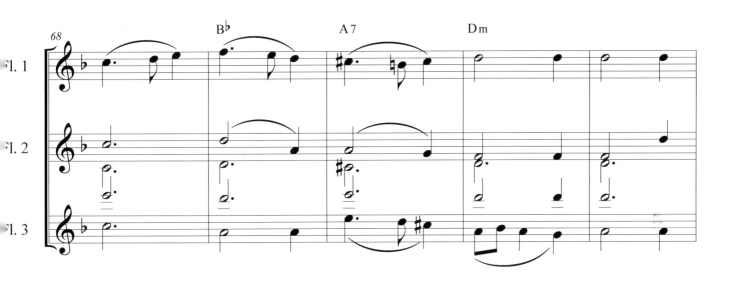

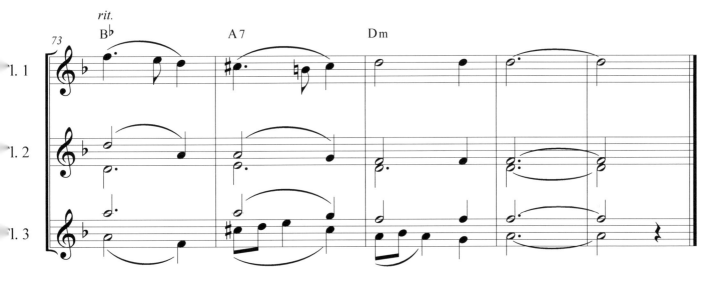

43

Score

당신은 나의 태양

J.davis,C.mitchell 작곡
한유경 편곡

당신은 나의 태양

Score

떡갈나무에 매인 노란 리본

T.Olando & The dawn 작곡
한유경 편곡

떡갈나무에 매인 노란 리본

48

떡갈나무에 매인 노란 리본

49

떡갈나무에 매인 노란 리본

떡갈나무에 매인 노란 리본

51

떡갈나무에 매인 노란 리본

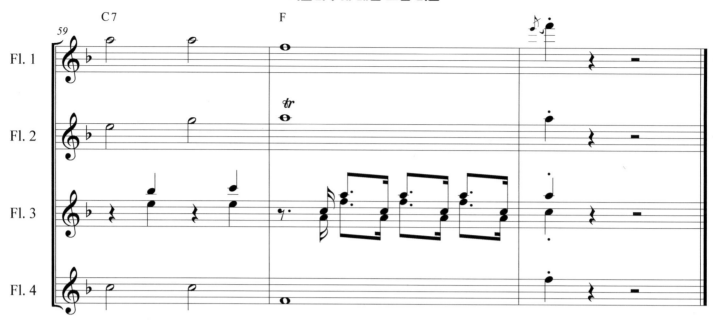

스승의 은혜

Score

권길상 작곡
G7 한유경 편곡

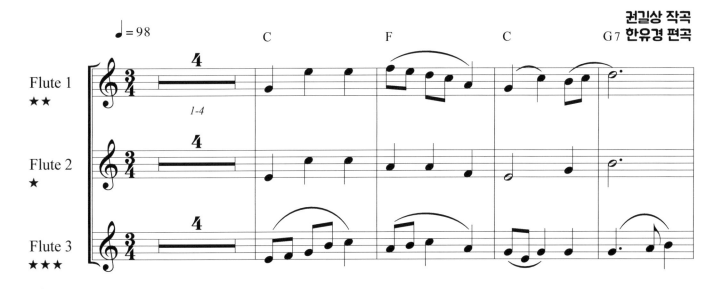

스승의 은혜

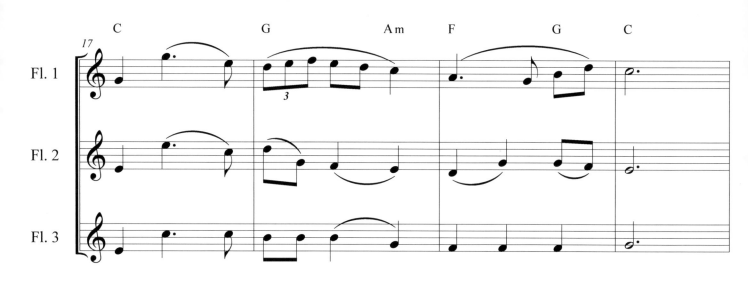

루돌프 사슴코

Score

Johnny Marks 작곡
한유경 편곡

루돌프 사슴코

루돌프 사슴코

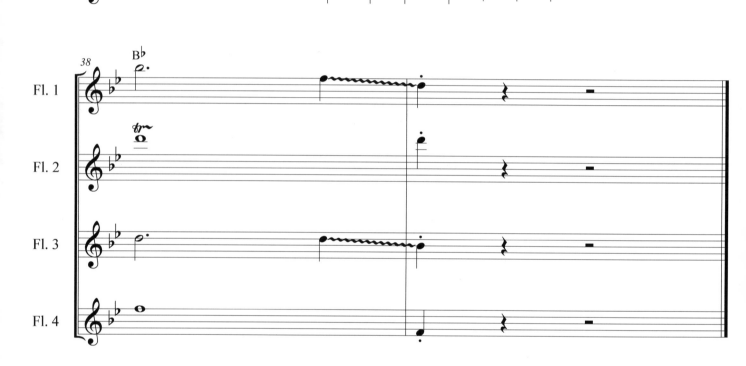

모두가 천사라면

Score

A.bano 작곡
한유경 편곡

모두가 천사라면

숲속을 걸어요

Score

정연택 작곡
한유경 편곡

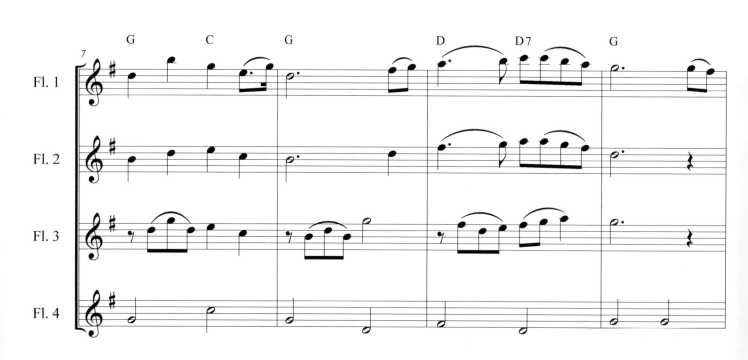

숲속을 걸어요

에델바이스

Score

R.Rodgers 작곡
한유경 편곡

에델바이스

엔터테이너

Score

S.Joplin 작곡
한유경 편곡

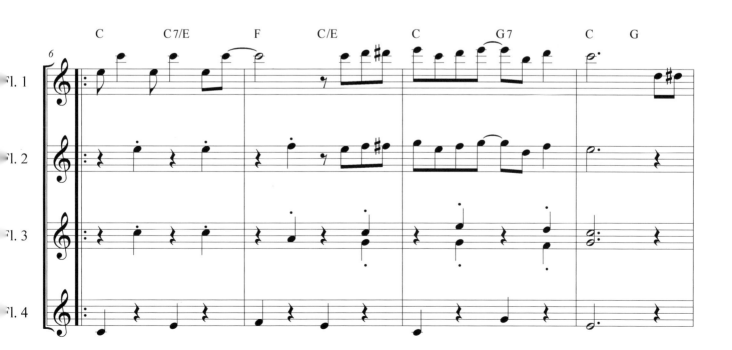

엔터테이너

2

4

70

오 수재너

Score

F.S.Collins 작곡
한유경 편곡

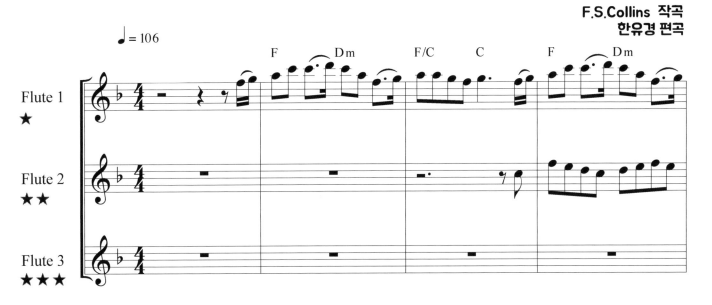

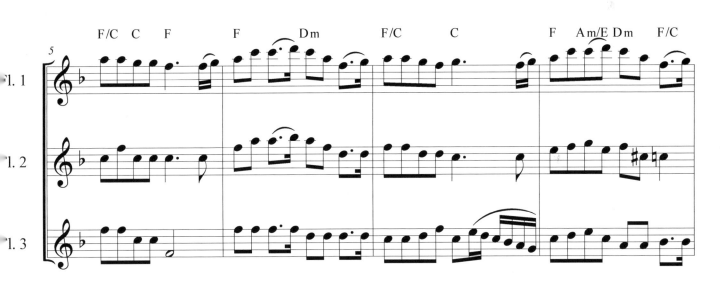

오 수재너

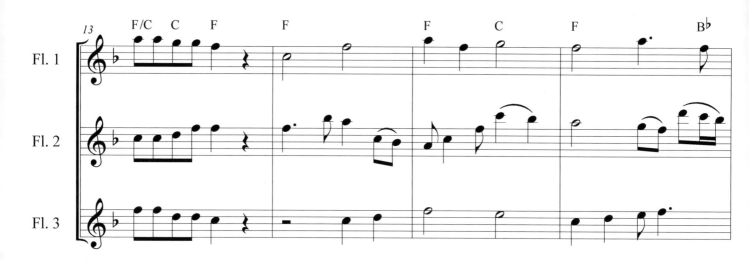

오 수재너

3

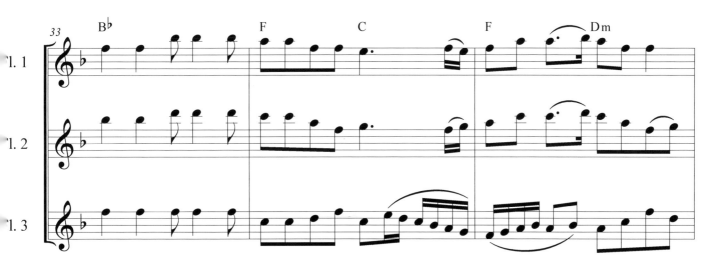

73

오 수재너

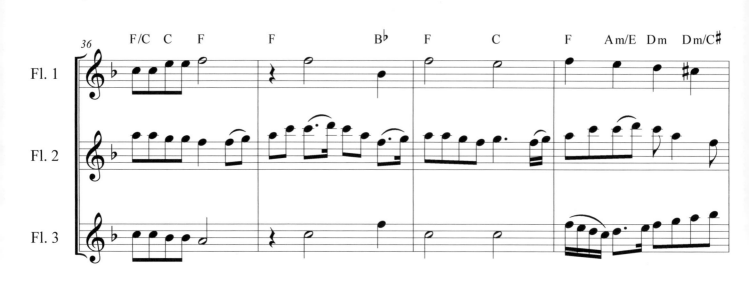

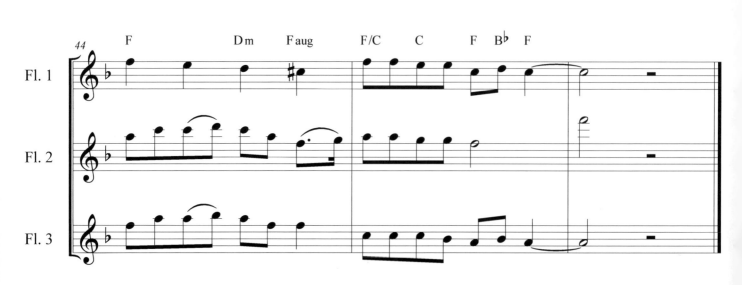

오 샹젤리제

M. Dieghan 작곡
한유경 편곡

오 샹젤리제

오 샹젤리제

77

오 샹젤리제

6

오 샹젤리제

울면 안돼

Score

H.Gillespie & Coots 작곡
한유경 편곡

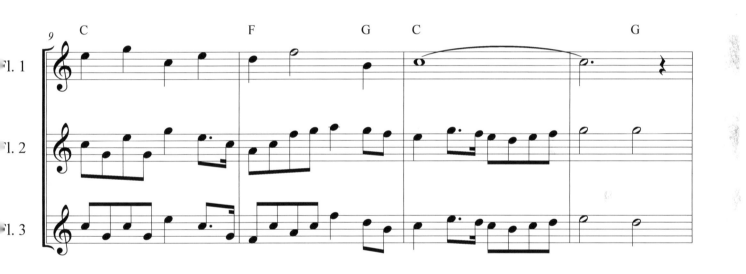

울면 안돼

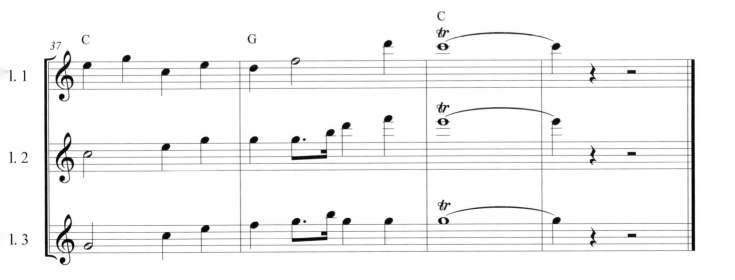

워싱턴 스퀘어

Score

B. 골드스타인 작곡
한유경 편곡

워싱턴 스퀘어

워싱턴 스퀘어

위풍당당 행진곡

E.Elgar 작곡
한유경 편곡

Score

위풍당당 행진곡

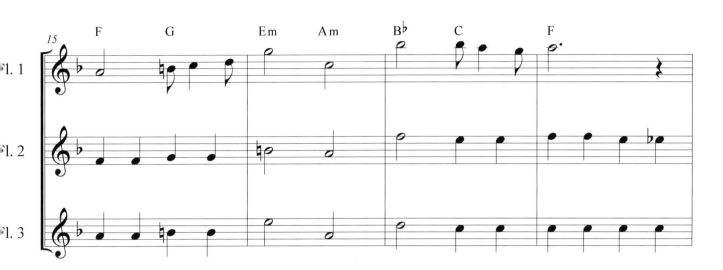

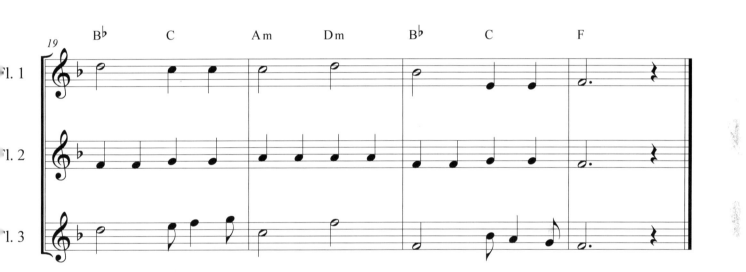

작은세상

S.Brothers 작곡
한유경 편곡

작은세상

징글벨

J.L.Pierpont 작곡
한유경 편곡

Score

Flute 1 ★★★

Flute 2 ★★

Flute 3 ★★★★

Flute 4 ★

Fl. 1

Fl. 2

Fl. 3

Fl. 4

2

징글벨

징글벨

3

94

크리스마스에는 축복을

김현철 작곡
한유경 편곡

크리스마스에는 축복을

크리스마스에는 축복을

크리스마스에는 축복을

모두가 함께하는 플루트 앙상블 교실1 스코어 (교사용)

발 행 | 2019년 11월 18일

저 자 | 한유경

펴낸이 | 한건희

펴낸곳 | 주식회사 부크크

출판사등록 | 2014.07.15.(제2014-16호)

주 소 | 서울특별시 금천구 가산디지털1로119 SK트윈타워 A동 305호

전 화 | 1670-8316

이메일 | info@bookk.co.kr

ISBN | 979-11-272-8844-0

www.bookk.co.kr